Bhí sé éagsúil ar fad le Muiris Ó Laoire – an té ar leis an fheirm ba ghaire dóibh. Chaitheadh seisean a shaol ag ól, ag cur geallta ar chapaill, agus ag goid óna chomharsana. Ní shaothródh sé pingin dá bhféadfadh sé ceann a ghoid. Bhí a chuid talún faoi aiteann agus faoi luachair agus bhí an fheirm ag dul ó mhaith bliain i ndiaidh bliana.

Oíche amháin bhí brionglóid iontach ag Liam. Shíl sé go raibh sé ina sheasamh i lár Dhroichead Londan. Bhí siopaí ar dhá thaobh an droichid agus bhí báid bheaga de gach sórt ag seoladh ar an abhainn. Nár bhreá an áit é! Shíl Liam gur chuala sé guth:

'Tar anall go Londain, a Liam Uí Laoi,' arsa an guth, 'agus buailfidh tú le fear anseo a chuirfidh saibhreas i do threo.'

Is beag aird a thug Liam ar an mbrionglóid mar ba mhinic a bhíodh brionglóidí aite aige. Ach nach raibh an bhrionglóid chéanna aige an oíche dár gcionn agus an oíche ina dhiaidh sin arís!

Thosaigh Liam ag machnamh. Ba ghearr go
mb'éigean dó stad den obair le teann machnaimh.
    'Níl aon mhaith ann, a Nóra,' ar seisean.
'Caithfidh mé a fháil amach an bhfuil fírinne ar
bith sa scéal.'
    'Is amadán tú, a Liam Uí Laoi,' ar sise, ach níor
fhéad sí é a stopadh ó dhul anonn go Londain.

D'fhág Liam slán ag a
bhean agus ag a
chuid leanaí agus
chuir sé chun bóthair
go dóchasach.

Ba thuras fada crua
é ar phócaí folmha.
Agus faoin am ar
bhain sé Londain
amach bhí a bholg
folamh freisin.

Bhain sé Droichead Londan amach. Bhí sé díreach
mar a bhí sé ina bhrionglóidí agus na báid ag
seoladh ar an abhainn.

Chaith Liam trí lá agus trí oíche ag siúl ó cheann
ceann an droichid. Bhí an áit dubh le daoine. Ach
níor thug siad aird ar bith air ná níor labhair duine
ar bith leis.

Níor chuala sé ach 'Fág a' bealach!' agus 'Brostaigh ort ansin'. Tháinig an bháisteach an tríú hoíche. Fuair sé foscadh i ndoras siopa báicéara. Bhí sé chomh stiúgtha leis an ocras gur bhain an boladh a bhí ag teacht ón mbácús deora as a shúile.

Níor thúisce é ina shuí ansin ná gur thosaigh madra an bháicéara ag tafann. Chuir an báicéir féin a cheann amach an fhuinneog.

'Gread leat,' a scread sé. 'Níl cead ag aon bhochtán a bheith ag crochadh thart ar mo dhorassa!'

'Ní fear déirce mise,' arsa Liam Ó Laoi agus fearg air. 'Is fear cneasta macánta mé.'

'Cén gnó a bheadh ag fear cneasta macánta ag mo dhoras i lár na hoíche?' arsa an báicéir.

'Níl aon fhoscadh eile agam,' arsa Liam go brónach. 'Seachtain ó shin bhí feirm bheag, bean bhreá agus triúr leanaí gleoite agam. Ach níl faic na fríde fágtha agam i ngeall ar bhrionglóid.'

'Brionglóid! Inis an scéal go léir dom,' arsa an báicéir.

Mar sin d'inis Liam an scéal dó ó thús go deireadh. D'inis sé dó faoin mbrionglóid a bhí aige trí oíche as a chéile ina ndúradh leis dá seasfadh sé ar Dhroichead London go mbuailfeadh sé le fear ansin a chuirfeadh saibhreas ina threo.

'D'fhág mé slán ag mo Nóra,' arsa Liam, 'agus tháinig mé anseo go cathair Londan. Tá trí lá agus trí oíche caite agam ag siúl ó cheann ceann an droichid mhallaithe seo. Níl pingin rua i mo phócaí ná níor labhair aon duine liom.'

Thosaigh an báicéir ag gáire. 'Chuile sheans gur fear cneasta macánta tú,' ar seisean, 'ach nach tusa an t-amadán mór agus turas fada a dhéanamh go dtí an chathair seo i ngeall ar bhrionglóid! Níor chuala mé a leithéid riamh!'

'Ach dar m'anam,' arsa an báicéir, 'nach bhfuil an scéal céanna agam féin. Bhí brionglóid iontach agamsa an tseachtain seo caite.

'Shíl mé gur sheol mé go hÉirinn agus gur shroich mé áit ar a dtugtar Béal an dá Chab agus cad a fuair mé faoi thor aitinn i bpáirc Uí Laoire ach pota mór a bhí ag cur thar maoil le boinn óir.

'Trí oíche as a chéile bhí an bhrionglóid chéanna sin agam. Ach an gceapann tusa go bhfágfainn mo shiopa beag le dul ar thuras fada go háitín nár chuala mé trácht riamh air i ngeall ar bhrionglóid? Beag an baol go bhfágfainn, muise. Ní haon amadán mise.'

Thosaigh sé ag gáire arís. Ach stop sé go tobann mar gur thug Liam léim as a chorp, lig béic as agus as go brách leis ar nós na gaoithe trasna an droichid. Ba ghearr go raibh sé as radharc.

Chroith an báicéir a cheann. 'An ghealt bhocht!' ar seisean go ciúin. Isteach leis ina shiopa agus dhún sé an doras.

Ní raibh pingin rua ina phóca ag Liam agus bhí air a bhealach a dhéanamh abhaile chomh maith is a tháinig leis. Thóg sé tamall fada air.

Ba mhinic a shíl Liam nach leagfadh sé súil ar Nóra
ná ar a chlann arís go deo. Ach i ndeireadh na dála
bhain sé an baile amach. Bhí an fheirm díreach mar
a d'fhág sé í, a bhuíochas sin do Nóra. Bhí sise
chomh sásta sin é a fheiceáil arís nach ndúirt sí
oiread is focal crosta amháin leis.

'Cá bhfuil an saibhreas, a Dhaidí?' a d'fhiafraigh
na leanaí.

'Ná bígí ag seafóid, a pháistí,' arsa a máthair.

Ach chaoch Liam súil orthu agus dúirt, 'bíodh
foighne agaibh agus feicfidh sibh!'

An lá céanna thug Liam cuairt ar Mhuiris Ó Laoire.

'A Mhuiris,' arsa Liam, 'cad tá uait ar an bpáirc sin agat? Tabharfaidh mé cibé rud atá uait uirthi.'

Rith sé le Muiris láithreach go bhféadfadh sé brabach a dhéanamh ar an ngnó. Chroith sé a cheann.

'M'anam nach bhfuil idir mé féin agus Teach na mBocht ach an pháirc sin,' ar seisean. 'Ní dhíolfainn í ar ór ná ar airgead.'

'Fan go gcloisfidh tú, tabharfaidh mé m'fheirm féin duit ar do pháircín,' arsa Liam go háiféiseach.

Leath a bhéal ar Mhuiris. Shíl sé go raibh Liam as a mheabhair. An tamall a chaith sé thar lear ba chúis leis, ní foláir. Ach bhainfeadh seisean buntáiste as an scéal. Chroith sé a cheann arís.

'Cén mhaith domsa é talamh a bheith agam agus gan bó ná caora air?' ar seisean.

'Bíodh mo bha agus mo chaoirigh go léir agat,' arsa Liam. 'Agus mo chearca agus mo ghéanna chomh maith ach ar son Dé tabhair do pháirc dom.'

Chroith Muiris a cheann arís eile.

'Dá mba leatsa mo pháirc cá mbeadh cónaí ormsa?' ar seisean. 'Tá mo theachsa i lár na páirce sin, tá a fhios agat!

'Bíodh mo theachsa agat,' arsa Liam láithreach, 'agus an scioból agus an chruach mhóna ach in ainm Dé tabhair dom do pháirc.'

I bpreabadh na súl chroith Muiris lámh Liam. Bhí an margadh déanta sula raibh deis ag Liam teacht ar athrú aigne.

D'impigh Nóra ar a fear gan a dteachín beag teolaí a thabhairt uaidh ach ní éistfeadh sé léi. An lá sin chuaigh Nóra, Liam agus na leanaí chun cónaithe i mbothán Mhuiris cé nach raibh ann ach prochóg.

Láithreach bonn thosaigh Liam ag tochailt faoi gach
tor aitinn a bhí i bpáirc Mhuiris.

Níor stad sé de lá ná d'oíche ach ní inseodh sé
d'aon duine beo cén fáth a raibh sé ag tochailt.
Tháinig Muiris agus a chairde go dtí an pháirc. Bhí
siad ag gáire agus ag magadh faoi Liam. Bhí Nóra
bhocht dearg le náire.

'Is é an trua é gur tháinig tú abhaile agus an
náire seo a tharraingt anuas orainn,' a dúirt sí leis.

Faoi dheireadh ní raibh ach tor amháin aitinn fágtha sa pháirc. Réab sé as an talamh é agus thosaigh sé ag tochailt agus ag guí. Fuair sé freagra ar a phaidreacha gan mórán moille. Nár bhuail an spád i gcoinne ruda éigin miotail.

Síos le Liam ar a ghlúine ag scríobadh na créafóige lena lámha. Bhí an pota ann díreach mar a dúirt an báicéir – pota mór agus é ag cur thar maoil le boinn óir!

Lean sé air ag tochailt go dtí go raibh sé cinn de photaí aimsithe aige agus gach uile cheann acu lán go béal le hór.

Díreach ansin chuala sé guth ar a chúl.

'Nach tusa an fear cliste, a Liam Uí Laoi,' arsa an guth.

D'iompaigh sé thart agus cé a bhí ann ach firín beag nach raibh airde méadair ann.

'M'anam ach gur leipreachán é!' arsa Liam.

'Tá an ceart agat,' arsa an firín. 'Is leipreachán mé agus sin é mo chuid óir ar do chúl.'

'Do chuidse óir!' arsa Liam agus faitíos ag teacht air.

'Ní gá duit a bheith buartha,' arsa an firín. 'Bhí dóchas agat as d'aisling agus tá luach do shaothair tuillte agat. Ach éist, ní tusa atá ag tógáil an óir ach mise atá á bhronnadh ort. Tóg pota amháin agus fáilte. Tugaim duit go fial é agus tá súil agam go mbeidh an t-ádh leat. Ach ná ceap go bhfillfidh tú chun tuilleadh a fháil. Má dhéanann tú é sin is tusa a bheidh faoi bhrón.'

'Ní thiocfaidh, a dhuine uasail. Ní thiocfaidh mise ar ais, a dhuine uasail. Go raibh míle maith agat, a dhuine uasail,' arsa Liam le gliondar agus é ag croitheadh lámh an fhirín. 'Ní thógfaidh mé oiread is bonn amháin eile, dar m'anam.'

Tháinig gliondar ar Nóra agus ar na leanaí nuair a chonaic siad an pota óir. B'éigean do Liam an scéal go léir a insint dóibh.

Chaith siad go léir tamall fada ag stánadh ar an
bpota óir. Ansin thosaigh siad ag smaoineamh ar
bhealaí chun an saibhreas a chaitheamh.

'Ceannóimid cúpla acra de thalamh maith,' arsa
Liam.

'Agus tógfaimid teach breá feirme,' arsa Nóra.

'Agus beidh gúnaí gleoite nua againne,' arsa na
cailíní.

'Agus beidh druma agamsa,' arsa an buachaill
beag.

Thosaigh siad ag damhsa le háthas ansin.

'Níl teach feirme maith go leor dúinn,' arsa Nóra
ansin. 'Táimid an-saibhir.

Beidh pálás againn a mbeidh céad seomra ann agus
giolla i ngach seomra.'

'Beidh cóiste galánta againn,' arsa na cailíní, 'cóiste óir agus ní bheidh orainn siúl sa lathach arís go deo.'

'Agus beidh mise ag marcaíocht ar chapall bán agus séidfidh mé trumpa óir,' arsa an buachaill beag.

'Beidh togha agus rogha an bhia againn,' arsa Nóra. 'Gach saghas feola níos blasta ná a chéile – mairteoil, uaineoil, fiafheoil agus iad bruite nó rósta de réir mar is áil linn. Agus ní cabáiste a bheidh againn feasta ach an uile shaghas glasraí ó chian is ó chóngar.'

'Ní bheidh ocras orainn arís go deo,' arsa na cailíní.

'Agus beidh fíon agus beoir againn ina mbairillí,' arsa Liam.

Bhí an oiread sin uathu gur bhraith siad nár leor pota amháin óir.

'Níl ár ndóthain óir againn,' arsa siad. 'Caithfimid tuilleadh a fháil.'

Ach níor chorraigh siad amach as an teach gur tháinig dorchadas na hoíche. Ansin shiúil siad go ciúin go dtí an áit ina bhfuair Liam an pota óir.

'Má thógaimid roinnt as gach pota ní bhraithfidh sé in easnamh é,' arsa Liam.

Líon siad na soithí, na málaí agus an bara rotha le hór. Chaith siad an oíche go léir ag obair agus bhí an poll líonta acu le héirí na gréine.

'Ní thabharfaidh an firín dada faoi deara,' arsa Liam go sásta. Ach bhí dul amú air.

Bhí an bara rotha chomh trom sin gur ar éigean a
bhí Liam in ann é a bhrú roimhe. Chuaigh sé dian
ar Nóra agus ar na leanaí an t-ór a bhí acu a
iompar.

Ach chomh luath is a shroich siad an teach tháinig athrú iomlán ar an ór. Rinneadh duilleog de gach bonn. D'eitil na duilleoga suas san aer. Trasna na spéire leo go léir.

Rith Liam isteach sa teach. Bhí an pota a bhí ansin ag cur thar maoil le duilleoga freisin.

Sin scéal Liam Uí Laoi. Liam Ó Laoi a chaith a shaol ag aislingeacht. Liam Ó Laoi a tháinig ar shaibhreas mór agus a chaill arís é.

Is cinnte gur mór idir dóchas a chur in aisling agus iarracht a dhéanamh bob a bhualadh ar na daoine maithe!

© Rialtas na hÉireann 1995

ISBN 1-85791-090-7

Arna chlóbhualadh in Éirinn ag
Criterion Press Tta

Le ceannach ón Oifig Dhíolta Foilseachán Rialtais,
Sráid Theach Laighean, Baile Átha Cliath 2
nó ó dhíoltóirí leabhar.
Nó tríd an bpost ó:
Rannóg na bhFoilseachán, Oifig an tSoláthair,
4-5 Bóthar Fhearchair, Baile Átha Cliath 2

An Gúm, 44 Sráid Uí Chonaill Uacht., Baile Átha Cliath 1